KB076777

탈모를 매력으로 극복하는

1%의 비밀

탈모를 매력으로 극복하는
1%의 비밀

발행	2024년 01월 16일
저자	상큼악마(신희원)
펴낸이	한건희
펴낸곳	주식회사 부크크
출판사등록	2014년 07월 15일(제2014-16호)
주소	서울특별시 금천구 가산디지털1로 119 SK트윈타워 A동 305호
전화	1670-3316
이메일	info@bookk.co.kr

ISBN 979-11-410-6690-1

www.bokk.co.kr

탈모를 매력으로 극복하는 1%의 비밀

| 탈모 극복 프로젝트 |

상큼악마 (신희원) 지음

| 차례 |

프롤로그 006

Chapter1 나도 혹시 OOO? 013

Chapter2 가발 티 나지 않을까? 019

Chapter3 늘 좋은 성과를 내는 사람들이 실천하고 있는 '매력의 법칙'이란? 025

Chapter4 여자 붙임 머리는 되고, 남자 가발은 안 된다고? 033

Chapter5 읽는 순간 무릎을 치게 되는 탈모의 원인 039

Chapter6 모발 이식 vs 가발. 최선의 선택은? 047

Chapter7 제로부터 시작하는 가발의 기본 053

Chapter8 아무도 알려주지 않는
나에게 어울리는 가발 고르는 Tip 067

Chapter9 한 번 알아 두면
최소 100만 원은 아낄 수 있는 가발 관리법 079

Chapter10 평생 써먹는 스타일링 꿀팁 091

Chapter11 사람들이 의외로 모르는 탈모 관리 꿀팁 099

Chapter12 친구들보다 10년은 어려 보이는 사람의 비밀 107

이 책을 마치며 112

탈모, 어리다고 안심할 수 없다

현재 탈모인 연령대가 현저히 낮아졌다. 예전에는 탈모가 40대 이상 중년이 되어서야 시작된다는 것이 일반적인 인식이었는데, 요즘에는 20대 초반부터 급속도로 탈모가 진행되는 사람들이 늘어났다. 건강보험심사평가원에서 발표한 자료에 따르면 2021년에 남성형 탈모로 인해 병원을 찾은 환자는 약 27,000명으로, 이들 중 30대가 26%, 20대가 24%로 전체 환자의 절반을 차지했다. 그런데 의약 바이오 기자협회와 대한모발학회가 진행한 설문 조사에 따르면 탈모를 치료하기 위해 병원에 찾는 사람은 전체 탈모 인구의 1/3 수준이라고 한다. 다시 말해서 집계되지 않은 20대 탈모 인구는 이보다 훨씬 더 많다는 이야기다.

탈모의 원인에 대해서는 아직 명확하게 밝혀진 바가 없지만, 유전이라는 선천적인 요인이 가장 큰 원인이고, 그 외에 후천적으로 스트레스, 영양 불균형, 계절 변화, 생활 습관 등 다양한 원인에 의해서도 발생하는 것으로 알려져 있다. 이러한 후천적 이유로 가발 회사를 찾는 20대, 30대의 젊은 남성들의 숫자는 일반 사람들이 막연히 생각하는 것보다 월등히 많다.

국제 두피모발협회 관계자는 국내 탈모 인구를 1천만 명 정도로 추산하고 있다고 전한 바 있다. 2022년 대선에서 탈모의 건강 보험 적용 검토를 통해 1천만 명이 혜택을 볼 것이라는 내용이 기사화된 것을 한 번쯤 들어 보신 적이 적 있을 것이다.

만약 당신이 모발로 인해 다른 사람들의 시선을 느껴본 적이 있다면 다음과 같이 생각해보면 어떨까? 가장 잘 생기고 매력 있는 사람들이 모인 곳이 연예계이다. 그리고 연예인들이 가장 신경 쓰는 것이 헤어와 메이크업이다. 우리나라에서 가장 잘생긴 사람들이 헤어 스타일에 신경 쓰는 이유는 자신의 매력을 최대한 살리기 위함이다.

만약 당신이 탈모로 비어 보이는 머리로 다른 사람의 시선을 받는 것이 싫었다면 이를 해결해줄 수 있는 해결책이 있다. 그것은 가발이다. 탈모로 완벽하지 못한 인상 대신, 가발 하나로 매력적인 사람으로 비칠 수 있는 것이다. 이제는 사람들의 시선을 즐기고 이용할 줄 아는 사람이 되길 바란다. 간단한 도구 하나로, 움츠려 있던 내면에 날개를 달아 보자.

젊은 남성들에게 가장 중요한 것은 바로 취업일 것이다.

구직자 가운데 75%는 외모를 스펙으로 생각한다는 데이터도 있다. 채용 시 당락에 가장 영향을 미치는 부분으로 인상/표정 등 분위기(74.8%)를 가장 많이 꼽았다. 그리고 면접 시 첫인상 체크리스트에는 다음과 같은 내용들이 포함되어 있다. 면접에 적당한 옷차림인지, 전체적으로 단정하고 청결한지, 서 있는 자세의 포인트는 어떠한지와 같은 것들이다. 이 세 가지에는 공통점이 있다. 시선이 머리끝부터 발끝까지 보게 된다는 것이다. 그런데 다른 부분을 아무리 잘 준비하더라도 머리 숱이 심하게 비어 있거나 말 그대로 민머리라면 취업에 큰 영향을 미칠 수 있다는 말이다. 민머리는 사회에 반항심리가 있어 보이거나 노안으로 보이고 평범하지 않다는 인상을 강하게 주기 때문에 취업에 불리하다. 아무리 개방적인 기업이라 하더라도 머리가 벗겨진 사원을 신입으로 뽑는 것은 부담스러울 거다.

"몇 년 전부터 채용 지침이 내려온 게 있어요. 탈모인은 채용하지 말라는 내부 권고 사항이죠." 한 언론사 간부인 고객님이 해 주신 이야기인데, 취업 면접관으로 참여할 때마다 진땀을 흘린다고 털어놓았다. "그런데 제가 탈모인이고 가발을 쓰고 다니는데 회사에 알린 적이 없으니, 가능하면 그 자리를 피하고 있지만 어쩔 수 없이 면접을 봐야 하는 상황이 오면 심적으로 부담스럽더라구요."

채용 공고에는 용모 단정이라는 문구가 없어진 지 오래지만, 위와 같은 지침은 취업시장의 불편한 진실이다.

면접을 할 때, 민머리 대신 가발을 쓰면 어떨까? 일단 인상이 부드러워 보인다. 젊어 보이면서 건강한 느낌을 주기 때문에 취업할 때 유리한 것이다. 아직 실감하기 어렵사면 일류 가발 샵에 가서 비슷한 나이대의 사람들이 착용하는 가발을 내 머리 위에 한 번 올려보자. 당장은 어색하겠지만, 사진으로 찍어서 본다면 완벽하게 세팅된 또 다른 나를 마주할 수 있을 것이다. 사진으로 찍어서 본 내 모습이 외부에서 본 시선과 가깝다. 그 가발을 쓰고 취업 면접이나 가족 결혼식, 큰 외부 행사 등에 참여해 보자. 빈 머리로 본인을 대했던 주위 반응을 떠올리면서 처음 보는 사람들 앞에 지금의 모습을 온전히 평가받아 보라. 예전과는 전혀 다른 긍정적인 외모평을 듣게 될 것이다.

| Chapter1 |

✦

나도 혹시 000?

✦

OOO에 들어갈 말은 탈모증이다.

젊은 청년들의 탈모 인구가 빠르게 늘어나고 있다. 간단히 질문을 통해 자신도 탈모가 진행 중인지 자가 진단을 해보자.

Check List

1. 이마가 남들에 비해 깊다.
2. 이마 m자가 해가 갈수록 깊어진다.
3. 머리카락이 하루에 빠지는 양이 100개 이상이다.
4. 머리카락이 다른 사람에 비해 얇다.
5. 머리카락 색이 점점 옅어진다.
6. 정수리가 휑해진다.
7. 정수리 부분이 쳐지고 앞머리가 듬성듬성 비어 보인다.
8. 정수리의 머리카락과 뒷머리의 머리카락의 굵기가 현저하게 차이가 난다.

위 질문 중 4가지 이상에 해당된다면 당신은 탈모증일 가능성이 높다.

정확한 것은 피부과 전문의에게 가서 진단을 받아야 한다. 기계로 모근 개수와 두피의 상태를 보는 곳에서 진단받는 것을 추천 드린다.

| Chapter2 |

✦

가발, 티 나지 않을까?

✦

가장 우려스러운 것은 가발을 쓴다고 했을 때 내가 어떤 모습일지에 대한 걱정일 것이다. 내 머리카락이 아니라서 자연스럽지 못하다는 느낌이 든다면 어쩌지 하는 생각 말이다. 여성들도 성형을 고려할 때 '그래, 저 아이돌은 코를 성형해서 저 모습이구나, 얼굴이 동그란 내가 했을 때는 어떨까?'와 같은 식으로 궁금해한다고 한다. 그 모습이 판단이 안 돼서 한 부위를 성형하고 다시 하는 것이다. 아이돌의 3단 변신으로 성형 후 변화된 모습으로 나온 사진들도 있지 않는가?

이럴 때는 머리카락이 없는 지금의 모습에서 많아지는 상태로 되돌아가는 것이니 모발이 풍성했던 고등학교 때나 20대 초반의 내 모습을 떠올려본다.

착용한 사람들의 비포 & 애프터가 궁금하다면, 간단히 검색해 보아도 된다. 가발 사진 비포 애프터, 맞춤 가발 포토 후기 같은 내용으로 검색하면 많은 사진들을 볼 수 있다. 가발 티가 제대로 나는 것부터, '저건 가발이 아니라 그냥 자기 머리로 사진 찍은 거 아냐?'하는 생각이 들게 하는 것까지 다양한 사진을 마주할 수 있다.

언젠가 탈모카페라도 가입해 두었다면 사진과 함께 이런 멘트도 볼 수 있을 것이다.

가발로 인생이 바뀜

000펌 스타일? 로 해보았습니다

심으려다가 가발 맞추길 잘했다는 생각…
착용한 사진 올려봅니다

애즈 펌? 그거 했어요 눈치만 보다가
올려봅니다 판단해 주세요

없던 머리카락이 생겼으니 어색할 수밖에 없고, 머리카락에 대해 자포자기해서 헤어 스타일링 한 번 제대로 시도해 본 적이 없었던 사람들이 하는 말들이다.

제대로 된 곳에서 적정한 가격의 가발을 제작한다면 당신 역시 '저거, 진짜 머리 아니야?'하는 느낌의 가발을 쓸 수 있다. 당신 자신조차 진짜 머리가 아닌지 의아해 할 정도인데 남이 어떻게 가발이라고 의심할 수 있겠는가?

이러한 느낌이 기준이다. 그리고 가발을 썼을 때 당신이 겪을 수 있는 변화다.

| Chapter3 |

✦

늘 좋은 성과를 내는 사람들이 실천하고 있는 '매력의 법칙'이란?

✦

"어떻게 대학생인데 가발을 쓸 생각을 했어요? 그 나이라면 먹는 약물 치료도 있고, 다른 걸 많이 하잖아요?"

가발 디자이너로 일을 시작한 첫 달에 만났던 24살 대학생과 나눈 대화다.

"20살 때 군대가서 탈모라는 걸 알게 됐어요. 진짜 우울증이 세게 오더라고요.

발모제도 있다고 해서 써 보고, 유명하다는 병원가서 두피 진단도 받고 주사, 레이저치료도 받았는데, 비용도 너무 비싸고 아프고 시간도 뺏기는 데다가 정작 머리카락은 생각만큼 안 나더라고요. '젊어서 1년 6개월만 치료하면 효과는 잘 볼 거예요'라고 의사 선생님도 말씀하셨는데 그렇지가 않았어요. 결국 '정수리가 다 드러나 있어서, 이대로는 안 될 것 같다'라고 말하니 가발도 있다고 말해 주더라고요.

그 병원에서도 모발 이식 수술을 한 후에 새 머리카락이 자랄 때까지 사회생활을 해야 하니까 맞추는 가발도 있고, 모발 이식이 기대만큼 충분하지 않아 불편을 느끼는 경우도 있어서 그때 마지막으로 권하는 방법이 가발이라고 해서요.

그래서 제일 유명한 곳을 찾다가 여기 오게 됐어요 그러고 나니까 우울증도 낫고, 공부도 되고 하더라고요."

"장학금 받는 우등생이라던데?"

"네, 장학금 타면서 학교에 다니고 있어요."

"다음번에는 여자친구하고 같이 와요."

고개를 끄덕이며 쑥스럽게 말하는 학생이 대단해 보였다. 어쩌면 그 학생은 가발을 쓰면 이상하게 여기는 고정관념과 편견에서 비교적 자유로운 나이라서 가장 손쉽고 합리적인 선택을 할 수 있었던 것은 아니었나 하는 생각을 한다.

전문가의 눈으로 보면, 이 친구의 탈모 형태는 정수리 모발이 없는 경우였다. 머리 한가운데 부분이 없기 때문에 뒷머리의 모발을 채취해서 심더라도 양이 턱없이 부족했을 것으로 생각된다. 1차적인 약물 치료에서 얇은 머리카락이라도 많이 났다면 몰라도 그렇지 못했을 것 같았다. 그렇게 보면 가발이 탁월한 선택이었지만, 혼자서는 거기까지 생각하지 못한다. 담당 의사가 '가발을 우리 병원에서도 쓰는 케이스가 있어'라고 솔직하게 조언해 주어서 인생이 바뀐 거다.

고객 중에는 의사가 몇 분 계신다. 호기심에 한의사분과 피부과 의사분에게 여쭤봤다.

두 분은 각기 병원에서 탈모 치료를 병행하는 프로그램도 하신다.

한의원에서는 사상체질을 기본으로 해서 면역력을 올린 다음에 경혈을 자극하는 발모 약침을 시술한다. 피부과에서는 건강보험이 적용되는 탈모 시술을 한다. 두피 약물 주사 요법 같은 것 말이다.

한의사분과 나눈 대화다.

"어떻게 여길 오게 되셨어요? 병원에서 탈모 침 시술하시지 않아요?" 조심스럽게 여쭤봤다.

"안 되는 건, 안 되는 거죠. 초기 탈모에서 침으로 잡을 수 있는 건 정해져 있어요."라고 대답한다.

그 분은 탈착형 가발을 쓰신다. 한약으로 몸 관리를 하시는 지 피부가 항상 맑다고 할까? 가발과 어울리면서 젊은 나이인데도 중후한 멋을 풍긴다. "가발 쓰시니까 환자 분들이 더 좋아하시죠? 너무 어린 한의사는 신뢰를 안 주잖아요~"

"그렇죠, 아무래도 일부러 나이 있게 가발로 스타일링하니까 ~ 영향은 있죠~"

피부과 의사분께 어떻게 가발을 쓰시기로 결정했는지 여쭤봤다.

"원장님은 너무 댄디해 보이세요. 친구분들보다 근사하다는 말 많이 들으시죠? 가발은 어떻게 쓰게 되셨어요?"

"약도 싫고, 이것저것 신경 쓰기 싫어서요. 처음에 오기가 어려웠지, 한번 가발 쓰고 나니까 좀 귀찮긴 해도 외모 면에서는 이점이 있죠~"

드라마 도깨비의 공유 헤어 스타일을 한 피부과 의사분의 외모를 싫어할 환자가 있을까? 탈모가 아니었다면 더 좋았겠지만, 도구를 잘 활용해서 사회의 한 축으로 훌륭한 삶을 꾸려 나가는 멋진 분들이 있다.

| Chapter4 |

✦

여자 붙임 머리는 되고, 남자 가발은 안 된다고?

✦

여자 아이돌이 얼마 전까지 단발이었다가, 붙임 머리를 이용해서 허리까지 오는 찰랑이는 머리 스타일로 변신한 것을 본 기억이 있는가? 이 붙임 머리를 보면서 '아, 가짜잖아! 뭐야?'라고 생각하는 사람은 없을 것이다. 가발도 그와 마찬가지다. 전문가의 입장에서 보면 둘 다 똑같은 증모술이다. 다만 둘 중에는 가발이 훨씬 전문적이며 기술적으로도 진보한 것이다.

개인차는 있지만 탈모가 시작되면 가장 먼저 하는 행동이 탈모 샴푸를 쓰고, 두피 전용 브러시를 사서 열심히 마사지하는 것이다. 경우에 따라서는 모발 전문 피부과에 가서 주사도 맞고 약도 먹는다. 다양한 방법 중 약이 가장 저렴하면서도 효과도 좋기 때문에 가장 많이 하는데, 치명적인 단점으로 남성적인 면에서 문제가 생기는 것이다. 탈모약은 호르몬에 영향을 주기 때문이다. 약을 먹는 남자분들은 잘 모를 수 있는데, 비뇨기과에 가서 생식력 검사를 해 보면 희귀생식으로 판명난다. 충격적인가? 그다음으로 두피가 듬성듬성 보이면 모발 이식 수술을 하게 된다. 근데 이 경우에도 만족할 만한 모량이 나오지 않는다. 이후에 남자들은 두피 문신을 하고, 붙임 머리를 하게 된다. 붙임 머리는 가발보다 거부감이 덜할 거라는 생각 때문이다. 근데 일반인의 입장에서 보면, 붙임 머리나 가발이나 별 차이가 없다.

우리나라 유명한 분들의 예를 들어보겠다. 요식업계에서 크게 성공해서 자신의 이름을 프랜차이즈로 쓰는 한 분은 가발을 쓴다. 또 40대 남자 스타는 한때 모자만 쓰고 TV 프로그램에 출연하다가 이제는 가발을 쓴다. 이름을 대면 누구나 알만한 유명한 부서 장관도 가발을 쓴다. 남자는 여자보다 대체로 머리가 짧은 스타일이라서 붙임 머리를 하면 스프레이로 고정하지 않거나 정수리 등 작은 부위를 커버하는 경우가 아니라면 매듭 부분이 티가 나게 마련이다. 근데 이러한 결점마저도 없애 주는 것이 가발이라서 위 세 분은 가발을 쓰는 것이다. 물론 이 분들이 가발을 쓴다고 공공연히 밝히지는 않았다. 이러한 부분에 대해 굳이 언급해서 사람들의 평가를 받을 필요는 없기 때문이다.

그냥 쉽게 생각하면 된다. 내가 그렇게 믿고 행동하면, 사람들도 그렇게 받아들인다.

여자 붙임 머리는 되고, 남자 가발은 왜 안 되는데?

| Chapter5 |

✦

읽는 순간 무릎을 치게 되는 탈모의 원인

✦

남성 탈모의 원인

이번 장에서 나오는 이야기는 조금 어려울 수도 있다. 인간의 호르몬에 관한 의학적인 이야기이므로 읽기 힘드시다면 다음 장으로 건너뛰어도 좋다.

현대 의학에서 알려진 남성형 탈모는 유전적 소인과, 남성 호르몬이라고 하는 안드로겐으로 인해 모발이 빠지는 대표적 질환이다. 2004년 연구에 따르면, 남성형 탈모가 있는 사람들은 부모나 조부모 중에 탈모가 있을 수 있으며, 외가 쪽이라 할지라도 탈모에 관한 가족력이 있는 경우 탈모 발생 확률이 더 높아진다고 알려져 있다. 가족력이란 부모나 조부모 중에 탈모가 있는 경우를 말하며, 탈모의 정도에 대해서는 개인차가 있다. '아빠와 형제, 그리고 사촌들이 탈모이니 나도 탈모인이 될 거야.'라는 생각은 맞을 확률이 높다는 것이다.

정상적인 머리카락은 약 3~6년 동안 자랄 수 있다. 그러나 남성형 탈모 유전이 있는 사람은 모발의 성장 기간이 점점 짧아진다. 예를 들면 3년 정도 자란 건강한 모발이 빠지면, 그 다음에 나온 모발은 약 2년을 자라다가 빠지고, 그 다음부터는 모발이 자라고 빠지는 주기가 더 짧아지고 모발의 수량 역시 점점 줄어들면서 가늘어지며 색도 연해진다. 그러다가 모발 수가 더 적어지고 가늘어지면 두피가 훤히 드러나는 것이다.

그런데 탈모가 심한 사람들을 보면 이마부터 정수리까지는 두피가 훤히 보이는데, 옆머리와 뒷머리는 남아있는 경우가 매우 많다. 그 이유는 무엇일까? 이는 앞머리 쪽 모낭과 정수리 쪽 모낭, 뒷머리 쪽의 모낭이 각각 안드로겐에 반응하는 감수성이 다르기 때문이다.

탈모 치료를 살펴보면 약으로 치료하는 방법, 그리고 건강하고 두꺼운 뒷머리 쪽의 모낭을 이식하는 자가모발이식 방법이 있다. 남성의 경우 약물은 발기 부전이나 성욕 감퇴, 체중 증가 등의 부작용이 있어 꺼리는 경우가 있고, 빠르게 진행되는 남성형 탈모를 약물로는 막을 수 없는 경우도 많다.

자가모발이식 수술은 뒷머리의 건강한 모낭을 떼어서 탈모가 진행되는 앞머리와 정수리 부분에 이식하는 방법인데, 이식된 모발은 약 한 달 후에 빠지고 새로운 모발이 성장하게 된다. 수술 후 약 6개월에서 1년 이상 지나면 자연스러운 형태가 되지만, 이식 수술을 하는 사람들이 원하는 일반인만큼의 모발 양을 맞추기가 힘들다. 모발 이식 수술 역시 모발의 성장과 유지를 위하여 지속적으로 약물 치료를 하도록 하고 있다. 다만 이 경우에도 앞머리와 정수리의 탈모 진행 속도를 따라가지 못한다.

조금 더 자세한 내용이 궁금한 당신에게

남성형 탈모가 발생하는 경우 탈모가 일어나는 특정 부위에만 탈모를 유발하는 강력한 안드로겐이 많이 생성되는 것으로 알려져 있다. 안드로겐이라는 호르몬의 이름이 생소할 수도 있다. 남성 호르몬 중 테스토스테론은 많이 들어 보았을 것이다. 이는 남성의 몸에 남성적인 징후가 발현하도록 유도하는 호르몬이다. 그 결과 근육과 생식 기관의 발육이 촉진되고 이차 성징이 나타난다.

이 테스토스테론은 모발 작용에서, 모낭에 도달하는 5알파-환원효소에 의해 더욱 강력한 안드로겐인 디하이드로테스토스테론(Dihydrotestosterone, DHT)으로 변환된다. 바로 이 디하이드로테스토스테론이 탈모를 유발하는 남성 호르몬인 안드로겐으로 알려져 있다.

여성도 탈모인이 있나?

물론이다. 무모증이나 두피에 불로 인한 화상을 입거나, 항암 치료나 면역 질환으로 탈모가 되는 경우를 제외하더라도 대머리인 여성분들이 생각보다 많다. 이를 여성형 탈모라고 부르는데, 남성과 마찬가지로 20대 중반부터 시작된다. 여성형 탈모는 남성형 탈모와 달리 완전히 벗겨지는 방식으로 탈모가 되는 것이 아니라 앞머리의 이마 라인은 유지된다. 그리고 가르마 부분을 중심으로 하는 정수리 부위의 모발이 가늘어지고 모량이 줄어들면서 두피가 보이게 되는 형태가 많다. 최지웅 아주대병원 교수는 탈모로 내원하는 여성 환자가 2021년부터 2배로 급증했다고 인터뷰한 적도 있다.

여성 탈모의 원인

여성 탈모 역시 남성 탈모와 이유가 같다. 첫 번째는 유전적 요인, 두 번째는 남성 호르몬에 의한 것이다.

잘 알려져 있지는 않지만, 여성 역시 가족 중에 탈모가 있으면 본인에게 탈모가 발생할 확률이 그렇지 않은 경우보다 7배나 높아지므로, 약 50%가량의 여성이 탈모가 있을 가능성이 있다는 보고가 있다. 여성에게도 남성 호르몬인 테스토스테론이 소량 발생하는데, 남성과 마찬가지로 남성 호르몬과 두피의 효소가 만나면 DHT라는 탈모의 원인 물질이 만들어지기 때문이다.

| Chapter6 |

✦

모발 이식 vs 가발. 최선의 선택은?

✦

모발 이식보다 가발이 더 경제적이라서 선택하는 사람도 많다. 하지만 그렇지 않은 경우도 있다. 상황에 따라서는 모발 이식도 추천한다. 앞머리만 부분적으로 조금 없다거나, 정수리가 살짝 빈다거나, 화상이나 흉터로 인해 일정 부분만 머리카락이 없다면 말이다. 요즘에는 수술비가 많이 인하되었고, 기술력도 더 좋아졌기 때문이다. 머리카락이 충분히 있어도 모발 이식을 하는 경우가 있다. 얼굴의 인상을 다르게 만들어주므로 이마 라인, 앞머리 부분 쪽에 2,000~3,000모 정도 심는 것이다. 이를 보통 헤어 라인 교정이라고 한다.

남자 아이돌과 영화 배우들이 모발 이식을 많이 한다는 것을 들어봤을 것이다. 여자 연예인도 헤어 라인 수술이라고 해서 모발 이식 수술을 많이 한다. 그 뿐인가? 아나운서나 승무원들도 생각보다 많이 한다. 얼굴 크기와 조화에 있어 이마의 높이와 형태는 큰 비중을 차지하기 때문이다.

왜 여자 승무원들이 헤어 라인 수술을 할까? 승무원은 머리를 모두 뒤로 묶어 올리는 올백머리가 기본 머리 스타일이다. 이때 이마의 헤어 라인이 네모로 각져 있거나 M자로 파인 형태라면 얼굴이 상대적으로 커 보이고 인상이 부드러워 보이지 않는다. 이를 피하기 위해서 수술을 하게 되는 것이다.

이처럼 적은 부위에 시술할 때는 2,000모 정도를 기준으로 보면 되겠다.

절개형	2,000모	250~350만 원
비 절개형	2,000모	400~500만 원

대한민국 피부과와 성형외과 26곳을 조사한 결과, 모발 이식 비용은 평균 430만 원 정도로 조사되었다는 보고도 있다.

절개형은 머리카락을 채취할 때 후두부의 두피를 절개해서 모발을 획득하는 방식이라 단가가 좀 더 저렴하다. 단 절개형 시술을 하면 뒷머리에 희미하게 절개한 자국이 남는다.

비절개형은 이러한 선이 생기지 않도록 모낭을 하나하나 채취하는 방식이다. 흉터가 남지 않는다는 장점이 있지만 모발을 채취할 때 더욱 힘이 들기 때문에 가격이 더 비싸다.

문제는 탈모로 인식할 정도라면 필요한 모량이 최소한 4,000모 정도는 된다는 것이다. 크기로 보면 대략 가로 8cm, 세로 6cm 정도 되는 크기이다.

절개형	4,000모	800~1,000만 원
비 절개형	4,000모	1,000~1,200만 원

다시 말해 일반적인 탈모의 경우 모발 이식 비용이 최소한 800만 원에서 1,000만 원 정도 드는 것이다. 이는 대략 가발 가격의 10배에 가깝다.

주목해야 할 점은 모발 이식 수술 후에 이식 수술한 모발은 영구히 남는다고 해도, 탈모가 진행되던 부위에 있던 기존 머리카락이 빠지면서 모량이 부족해지는 현상이 있다는 것이다. 그 외에도 이식한 머리카락이 100% 착상되지 않는 의학적인 한계도 있다. 아무리 잘 생착시키는 병원이더라도 착상율은 80% 정도라고 생각하면 된다.

위와 같은 이유로 이식을 여러 번 해야 하는데 이식할 뒷머리의 모근이 그만큼 많이 남아있지 않는 경우가 대부분이다. 그리고 수술을 하게 되면 머리를 전부 삭발한 채로 진행하는 경우도 있고, 이식한 머리카락은 전부 빠지고 난 후 다시 자라는 생장 주기를 몇 개월 거쳐야 하므로 그 사이에는 사회생활도 제한된다는 약점이 있다. 한창 공부하거나 일해야 하는 20대, 30대가 몇 달씩 사회적인 공백기를 가지면서 시술받을 수 있는 게 아니라는 것이다.

| Chapter7 |

✦

모발 이식 vs 가발. 최선의 선택은?

✦

가발러라면 알아야 할 가발 필살기

가발의 종류에 대해 알아보자.

탈모 범위에 따라	부분 가발	전체 가발
부착 방법에 따라	탈부착형	고정형(의료용 본드로 고정)
맞춤 여부에 따라	기성 가발	맞춤 가발
머리카락 성질에 따라	인모 가발	인모+합성모 혼합형 가발

첫째, 가발은 탈모 정도와 이용하는 분의 필요에 따라 부분적으로 사용하는 부분 가발과 전체적으로 쓰는 전체 가발이 있다. 탈모 정도와 탈모 부위를 진단하고 부분 가발을 사용할 것인지 완전한 민머리에 쓰는 전체 가발을 사용할 것인지를 결정한다.

둘째, 이용자가 착용하는 횟수에 따라서 탈부착식이 있고, 의료용 본드로 두피에 고정시키는 고정형 가발이 있다.

셋째, 이미 나와 있는 기성 가발과 본인 두피의 형상과 탈모 정도에 따라 사이즈를 재서 만드는 맞춤형 가발이 있다.

넷째, 가발에 쓰이는 모발 종류에 따라 인조 모발만 사용하거나, 사람 인모만으로 만들거나 인조 모발과 사람의 인모를 섞어 만들기도 한다.

사람의 인모는 습기와 수분에 취약한 성질이 있어서 샴푸하면 기껏 스타일링한 머리 형태가 풀리고 만다. 이러한 단점을 보안하고자 만들어진 것이 합성모라고 하는 인조 모발이다. 소재는 플라스틱이고, 사람의 머리카락과 촉감과 질감이 거의 비슷하며, 머리 스타일의 형태까지 고정해 주는 특징으로 인해 가발 이용자에게 각광받는다.

가발 착용을 결정하였다면, 옷을 사듯이 평균적인 사이즈에 맞게 나온 기성 가발을 착용하면 된다. 본인의 머리에 써 보고 사이즈나 스타일이 마음에 든다면 구입해서 바로 사용하면 된다. 가격도 맞춤 가발에 비해 저렴한 편이므로, 1회성이나 행사용으로 구입하는 경우에는 이러한 기성 가발을 착용한다.

하지만 가발을 착용하는 사람들은 하나같이 내 모발처럼 자연스럽게 보이고 편하길 바란다. 그래서 우리나라에서는 티가 잘 안 나는 맞춤 가발을 선호한다. 이 형태는 보통 두상을 본떠서 가벼운 틀을 만들고, 그 틀에 인조 모발과 인모를 섞어서 심는다. 이런 점을 모르고 가발을 구입한다면 당신은 가발러의 필살기를 모르는 것이다.

위의 설명만 보면 복잡해 보일 수 있지만, 사실은 안경을 살 때와 같다. 테는 뿔테로 살 것인지 금속테로 살 것인지 결정하고 나서, 멀리서 오는 버스가 안 보인다면 근시용 렌즈를 선택하고 컴퓨터 작업을 평소에 많이 한다면 눈이 보호되는 블루 라이트 차단 기능을 추가하면 되는 것이다. 가발 역시 내 상태가 어떤지 진단은 전문가가 해 줄 것이다.

가발 가격 + 유지비용

모르면 손해보는 가격에 대해서 알아보자.

기성 가발	28~80만 원
맞춤 가발	120~150만 원

* 두 개를 한 쌍으로 취급하는 경우가 많으며, 이 경우 총 비용에서 40~50만 원 추가 할인이 가능하다.

미리 말해두지만 가발은 저렴한 제품이 절대로 아니다. 남자는 외모로 볼 때 머리발이 90%라는 말이 있다. 남성은 꾸미는 아이템이 제한적이므로 상대적으로 헤어 스타일이 더 중요하다는 것을 강조한 말이다.

가발의 가격에 대해 이해하기 전에 먼저 가발은 통기성과 견고함이라는 기술적인 면과 머리카락의 형태라는 미적인 면이 결합된 상품이라는 것을 알면 좋겠다.

가발의 기술력이 영업 비밀인 시대이다. 그래서 같은 가발이라도 업체의 인지도에 따라서 가격이 천차만별로 책정되지만 통상적인 가격대는 위 〈표〉와 같다.

보통은 두 개의 가발을 번갈아 쓰기 때문에, 두 개를 구입하는 경우 40~50만 원 정도의 추가 할인을 해 준다.

수제 100% 인모를 쓰고 100% 국내에서 수작업한다는 명목하에 개당 200~250만 원을 받는 곳도 있으나 단지 마케팅의 문제일 뿐이며, 기술력이나 착용감에 있어서는 대형 프랜차이즈 업체의 가발을 따라오지 못한다. 기량이나 외모에 있어서 어린이와 어른의 차이라고나 할까?

유지비용

꼼꼼하다면 알아 두어야 할, 무시할 수 없는 유지 비용도 알아보자.

	프랜차이즈	일반 소규모업체
고정형(약품 고정형, 링이나 뜨게 방법 고정형)	1회 4만 원 (2/3주에 한 번씩 관리)	1회 3만 원 (2/3주에 한 번씩 관리)
탈부착형(클립형, 테잎형, 자석형,밸크로형)	1회 2만 원 (4/5주에 한 번씩 관리)	1회 1만 8천 원 (4/5주에 한 번씩 관리)

가발의 사용 기한

'가발은 한 번 맞추면 평생 쓸 수 있다?'

많은 사람이 이와 같이 알고 있지만, 그건 가발에 대한 오해다. 가발의 사용 기한에 대해 알아보자.

가발의 사용 기한은 맞춤형인지 탈착형인지에 따라 많이 차이가 있는데, 맞춤형은 내 몸에 부착하여 24시간, 365일 사용하기 때문에 마모도가 심하다. 맞춤형은 한 개로 1년 쓴다고 보면 적정하고, 탈부착형은 1년 5개월 정도 쓴다고 생각하면 좋을 것 같다.

맞춤 가발은 틀에 모발을 본드로 붙이는 방식이 아니고 얇은 망에 머리카락을 수제 바늘로 하나하나 엮듯이 매듭을 지는 방식으로 만들기 때문에, 생활하면서 머리에 빗질을 하거나 기타 이유로 자연스럽게 빠지게 된다. 이처럼 빠지는 부분이 많아지기 때문에 사람들이 예상하는 것보다 수명이 짧은 편이다.

또 가발을 애지중지하며 잘 관리했다면 그렇지 않은 가발보다 사용 기간이 더 길어진다. 가발을 쓰기 시작하면 사회생활을 왕성히 하는 동안에는 계속 쓰기 때문에 10년 이상 지속적으로 사용하게 된다. 이때 가발의 사용 기간이 3년 이상 된 사람은 처음 가발을 쓰는 사람보다 가발의 수명이 두어 달 더 늘어난다는 것은 임상적으로 확인할 수 있다.

이뿐만이 아니라 가발은 부대비용이 든다. 사람의 머리카락은 남성을 기준으로 3~4주에 한 번씩은 머리카락을 잘라주어야 단정한 상태를 유지할 수 있다. 가발의 길이는 그대로인데 이용자의 머리카락은 자라므로 가발의 길이에 맞게 3~4주에 한 번씩은 머리를 손질해 주어야 하고, 가발 역시 스타일이 무너지지 않도록 가발 회사를 통해 세척, 드라이, 스타일링 작업도 해 주어야 한다.

고정식의 경우 부착에 사용된 의료용 본드의 수명이 있으므로, 2주에 한 번씩은 세척을 하고 가발 스타일링을 점검한 후 머리에 다시 부착해 주어야 한다.

이것을 관리비라고 하는데, 소규모 업체에서는 2만 원, 대형 프랜차이즈 업체에서는 4만 원까지 받는다.

남성분이 탈부착형 가발을 1개 구입하고 1년 관리하는 데 드는 비용을 계산해 보면, 가발 값 한 개에 120만 원, 관리비 2만 원씩 x12달로 계산해서 144만 원 정도가 든다.

마찬가지로 고정형 가발을 구입하고 관리하는 데는 168만 원 정도가 든다고 계산하면 편할 것이다.

물론 저가의 가발도 있다. 한 개에 29만 원 정도 하고 관리비도 15,000원 정도 하는 것 말이다. 하지만 '싼 게 비지떡'이라고, 그런 가발은 털모자다. 누가 봐도 가발의 티가 나서 우스워 보일 뿐만 아니라, 소재가 저가의 합성모이므로 펌이나 염색, 고데기로 열을 가하는 스타일링도 어려운 것이 대부분이다.

가발 맞춤 순서

가발 샵이나 회사에는 보통 예약을 하고 가게 된다. 여기서는 가발 회사라고 칭하겠다. 예약된 날짜에 가발 회사로 방문하여 상담하면 가발 스타일을 권해준다. 자연스럽게 내리는 스타일로 할지, 가르마 있는 형태로 할지, 펌이 된 스타일리시한 스타일로 할지 등이다. 기억해야 되는 점은 앞머리를 올리는 스타일 즉, 이마를 내는 스타일은 내리는 머리 스타일로 하면 가발을 다시 맞춰야 한다. 신중히 결정하자.

보통은 미리 준비된 샘플이 있어서 이를 머리에 얹어서 스타일을 바로 확인할 수 있도록 해 준다. 상주해 있는 가발 회사의 상담자의 조언에 따라 스타일을 살펴볼 수 있는데, 이들은 보통 헤어 디자이너 출신으로 가발스타일까지 낼 수 있는 실력자들이므로 안심해도 좋다. 주변에 눈썰미가 좋은 지인이 있다면 스타일 선택을 위해 함께 방문해도 좋다.

탈모 범위에 따라 고정식으로 할지 탈부착형으로 할지를 선택한다. 개인적으로는 귀 옆이나 뒷머리가 3센치 정도 있다면 클립으로 고정하는 탈부착형을 권한다. 옆이나 뒷머리가 없고 정적인 직업이나 취미 활동을 영위하는 라이프스타일이라면 전용 테이프로 고정하는 방식도 괜찮다. 고정형은 착용 시 자연스럽고 티가 안 난다는 큰 장점이 있지만, 두피에 의약용 약품으로 고정하는 방식이라서 간지러울 수 있고 답답하기 때문이다. 앞에서 알려드린 바와 같이 가발의 수명은 1년 정도로 짧기 때문에 비용적인 면에서 부담이 더 클 수도 있다. 탈부착형은 회사에 출근할 때는 착용하고 집에 돌아오면 벗고 있어도 되기 때문에, 이 방식을 더 추천한다. 쉴 때는 몸도 마음도 쉬어야 하지 않나.

그래서 내 가족이라면 고정형 대신 탈부착형을 권할 것이다. 하지만 젊은 사람들은 대체로 활동량이 많고, 고정비가 많다는 이유로 가발 회사에서 고정식을 권하기도 한다.

고정식 형태는 자연스러움이 아주 중요하고, 누구에게도 알려지기 싫어하는 사람에게 적합하다. 가발 회사에서 탈착을 하는 순간을 제외하고는 24시간 365일 누구에게도 탈모 상태를 보이지 않을 수 있기 때문이다. 하지만 조금만 관리를 게을리하면 두피가 간지럽고, 여름철과 같이 고온 다습한 상황에는 냄새도 날 수 있다. 이 부분은 전문가가 아니면 알려주지 않는 부분이므로 잘 고려해서 선택하길 바란다.

상담자는 최대한 당신의 머리 색, 머리카락 두께 등을 보고 비슷한 것으로 선택하며, 당신이 원한다면 머리카락 색이나 모량 등을 선택할 수 있다.

모량은 이미지에 상당한 영향을 주는 요소이다. 모량 100%의 경우 20대 초반의 젊음과 건강함을 연출할 수 있지만, 세련되지는 못하다. 답답한 느낌이 있을 수 있다는 말이다.

판매하는 회사마다 표기법은 다르지만, 보통은 모량 80 ~90% 정도가 적당하다. 이는 나이가 들수록 다르므로 50대의 경우 70% 정도가 세련되고 멋스럽다.

스타일을 결정하면 작은 샵에서는 머리 틀을 그 자리에서 본떠서 만든다. 큰 회사는 3D기계로 두상 도면을 제작하고 그 틀로 망을 제작한다. 어느 게 좋고 나쁘다고 판단할 수는 없다. 한 쪽은 좀 더 아날로그 느낌으로 제작하고 다른 쪽은 첨단 기술을 도입한 것뿐이다.

제작 기간은 통상적으로 작은 샵은 한 달 정도, 큰 회사는 발주량에 따라 한 달에서 한 달 반 정도이다. 보통은 외국에서 제작하는 경우가 많아 국제적인 이슈가 발생하는 경우 세 달까지도 걸릴 수 있다. 제작은 중국이나 개발도상국에서 이루어지는데, 코로나 기간에는 세 달까지 소요된 적도 있었다.

제품이 도착하면 피팅의 과정을 거친다. 이는 한 뼘 정도 긴 기장의 가발을 원하는 스타일로 잘라서 맞추어 주는 과정이다. 피팅은 가장 중요한 작업이다. 한 번에 마음에 들지 않는 경우도 있고, 고객도 가발에 적응하고 주위 평가도 받아야 하기 때문이다. 그래서 보통 세 번 정도 수정할 수 있는 피팅 관리권을 무료로 제공한다. 무료 관리권은 피팅 후 부족한 부분 수정하는 작업을 거치게 해 준다는 뜻이다. 첫 번째 피팅에서 최대한 만족해서 돌아가시길 바란다. 그래야 두 번째에서 내게 딱 맞는 느낌을 받을 수 있다. 세 번, 네 번 해도 어색한 가발은 보통 제대로 된 피팅을 안 했을 확률이 높다. 두 번째에서 만족하지 못한다면 정확히 말하라. "가발이 자연스럽지 못하니 틀 작업을 다시 해 달라."라고 말이다.

이렇게 가발 피팅까지 마무리되고 나면 관리 주기를 설명해 줄 것이다. 머리카락이 계속 자라므로 이를 다듬기 위해 3주나 4주에 한 번씩은 샵에 오도록 말이다. 대개는 이사나 취업, 이직 등으로 주거지가 바뀌지 않으면 꾸준히 한 곳에 다니게 된다. 관리해 주는 헤어 디자이너가 매번 바뀔 수 있기 때문에 처음 가발을 맞출 때는 1년간 지정 관리를 무상으로 해 달라고 요구하는 게 좋다. 결재할 때 이외에 지정해 달라고 하면 비용을 따로 추가하는 경우가 많기 때문이다.

조금 더 자세한 내용이 궁금한 당신에게

여기서 틀 작업이란? 맞춤 가발은 가발 망에 모발을 하나하나 매듭지어서 만든다. 모발은 모류라고 하는 방향이 있다. 그 방향을 길들여 주는 것이 바로 틀 작업으로, 모발이 뜨지 말아야 할 부분은 눌러 주고, 모발이 떠야 멋있는 부분은 세워 주는 것이다.

3~4주나 한달에 한 번 샵에 가서 관리를 받을 때마다 세척 관리하고 스타일링할 때 가발 스타일리스트들이 해 주는 일이 바로 이러한 틀 작업인데, 보통 정수리 부분은 모발의 각도를 서서히 낮추며 앞머리 부분은 약간 세워주고, 내 머리와 가발이 연결되는 라인 2센치 정도는 눌러준다.

| Chapter8 |

✦

아무도 알려주지 않는 나에게 어울리는 가발 고르는 Tip

✦

1. 젊은 남자 연예인들이 왜 탈모가 아닌 데도 헤어 라인 모발이식 수술을 할까? 이마 높이에 따른 황금 비율이 있기 때문이다. 이 황금 비율을 공개한다.

〈황금 비율이란?〉가발의 시작선은 눈썹을 기준으로 했을 때 세 손가락 가로로, 네 손가락 정도이다. 이것이 황금 비율이므로 알고 착용해 보자.

2. 대형 프랜차이즈 가발 회사(최소한 전국적으로 지점이 20곳 이상인 업체) 2곳을 찾아간다. 그리고 각 업체에서 추천하는 가발 3가지를 써 본다. 헤어 디자이너가 추천하는 스타일의 사진을 찍어본다.

일반적으로는 그동안 익숙했던 헤어 스타일에 집착하므로, 사진으로 찍어서 비교해본다.

이때 혼자 가지 말고 눈썰미 좋은 동성 친구나 여자 친구와 함께 가서 비교한다. (단, 사공이 많으면 좋지 않으며 동행인은 1명 정도가 좋다.)

3. 100%인모(사람 머리)로 만든 가발을 선택하지 말고, 인모와 합성모가 섞

인 제품을 이용한다. 이러한 소재가 스타일의 고정력이 좋고, 머리카락 끊어짐도 보완해 준다.

보통 인모는 합성모의 비율은 6:4가 좋다. 펌을 한다면 7:3의 비율까지 괜찮다.

4. 20대의 80%가 처음 선택하는 가발 스타일은 돌려 내림이라는 스타일이다. (별에서 온 그대의 남자 주인공 머리를 떠올리면 된다.)

- 관리도 쉽고, 가발 티도 나지 않는다.
- 모자 쓰듯이 똑딱이나 가발용 테잎으로 두피나 머리카락 위에 위치만 잘 맞춰 쓰면 된다.
- 이 스타일에서 전체적으로 숱을 좀 쳐 달라고 하면 훨씬 더 자연스럽다.

5. 남자 헤어 스타일은 크게 3가지다. 가르마가 있는 형태, 가르마 없이 내리는 형태, 펌을 한 형태

위의 3가지 중 내 인상을 밝게 해 주는 형태를 고르는 것도 방법이다.

6. 최고의 자연스러움과 비용, 시간을 많이 투자할 수 있는 입장이라면? 2~3주 동안 가발 샵에 갈 수 있다면 고정형으로 선택한다.

가족 이외에는 부자연스러운 부분이 티가 나지 않는다.

7. 가발은 기술력과 스타일의 합작품이다

- 가발만큼은 여자 헤어 디자이너가 있는 곳으로 간다.
- 현행법상 남자 이발사는 미용사가 아니다. 그만큼 할 수 있는 헤어 스타일이 정해져 있고, 세련되지 못하다는 뜻이다.

8. 맞춤 가발을 일정 기간 빌릴 수 있다면 이를 적극적으로 이용한다.

보통 2주 정도 보증금을 내면 이용할 수 있는데, 이렇게 착용해 보고 주위의 반응을 살펴본다. 매일 보던 사람들과 처음 보는데 가발을 쓰고 안면을 튼 사람 모두의 반응이 좋다면 합격이다. 내 의견은 좀 미뤄도 줬다. 탈모가 오면 머리 부피감이나 스타일에 구애를 많이 받는다. 당사자는 이 부분에 익숙해져 있어서 객관성을 잃기 쉽기 때문에 처음 가발을 고를 때만큼은 본인의 의견을 조금 내려놓도록 한다.

9. 가발의 헤어 컬러는 자신의 기존의 머리카락 색과 가장 가까운 색으로 고른다.

가발샵은 미용실처럼 모발색 차트가 있다. 자신의 머리색과 직접 비교해서 고른다면 더욱 티가 안 나는 가발을 선택할 수 있다.

전문가의 도움이 필요한 8가지 상황

전문가의 도움이 필요한 상황은 가발을 쓰기에 조금 어려운 상태를 말한다. '나를 알고 적을 알면 백전백승'이란 말이 있듯이 내 상태를 잘 파악해 보고 가발을 맞출 때 참고하자.

현업에서 가발을 추천하고 스타일링해서 착용한 것을 확인하면서 확인한 사항이므로, 다음 조건에 있는 사람들은 가발을 쓸 때 더 신경을 써야 한다.

1. 구레나룻부터 빠지는 탈모

구레나룻을 포함한 얼굴 정면에서 보이는 곳이 인상을 결정한다. 사람의 눈은 이 부분을 3초 이내에 판단한다. 만약 구레나룻이 없다면 가발과 연결선이 자연스럽지가 않게 된다.

이 경우 구레나룻을 만들어 주는 형태로 가발을 맞추도록 한다. 처음 가발을 맞출 때 자신에 맞춰서 스타일을 잡아주는 피팅 작업을 최소 부지점장급 이상에게 받도록 한다. 가발 틀 자체에 살짝 구레나룻을 만들어 주거나 가발의 머리카락으로 그 형태를 잡아 줄 것이다.

2. 앞 이마 라인이 없어지는 M자형 탈모

탈모 중 가장 많은 유형에 속한다. 하지만 앞 이마 모발, 1센치가 더 있고 없고의 차이는 가발의 자연스러움, 즉 '티가 나는 것을 완벽하게 커버할 수 있느냐, 아니면 95% 정도만 커버하느냐?'의 문제가 된다.

사실 이 부분은 가발을 맞출 때 헤어 디자이너에 의해 쉽게 커버된다. 가발을 맞출 때 자신의 손가락 서너 개의 굵기 정도로 이마 라인을 맞춰 달라고 하면 된다. 샘플 가발을 써 볼 때는 손가락 세 개의 위치와 네 개의 위치를 확인하면서 어느 라인이 더 잘 어울리는지 반드시 체크해 보자. 입문할 때 맞춘 스타일로 5년 이상 쓰는 경우도 많으므로 이 과정은 매우 중요하다.

3. 뒷머리부터 빠지는 탈모

때로 사람들은 왜 남자의 뒷모습에 끌릴까? 말없이 넓은 어깨, 탄탄하고 듬직한 등, 그 묵묵한 뒷모습에서 세상을 향한 태도를 읽기 때문이다. 그런데 뒷머리, 정수리 아래 머리가 없으면 가발 연결선이 티가 난다. 두피나 목 위의 살에 머리카락이 있어야 가발이 붕 뜬 것 같은 느낌이 없어진다.

가발을 맞추거나 스타일링 할 때 가발 모근을 정교하게 눌러 달라고 해야 한다.

4. 연약한 두피의 탈모

가발을 두피에 부착하는 방식의 자극을 못 견딜 수 있다. 가발은 착용할 수 있지만 연약한 두피는 발진을 달고 살거나 가려움과 통증을 수반하기 때문에 좋지 않은 조건이다.

가발 부착 방식을 약품 고정식보다는 클립형, 테잎형으로 하는 것을 추천한다.

5. 얼굴 양옆의 머리카락이 얇거나 모발이 없는 탈모

탈모가 생기는 부위는 사람마다 다르다. 젊은 분인데 양옆 관자놀이 부분에서부터 모발이 없는 경우도 흔하다. 이런 경우 가발이 들뜬다. 모발을 연결하는 매듭이 약간의 부피감을 가지고 있기 때문에 1mm를 구분해 내는 예리한 눈썰미를 가진 사람에게는 어색함을 줄 수 있다.

6. 유분기가 너무 많은 두피를 가진 탈모

의료용 본드로 부착하는 경우 고정하는 시간이 짧아진다. 통상 2주 내지 3주는 부착되어 있어야 하지만, 그 반 정도의 시간만 두피에 붙어 있다. 탈부착형의 경우에도 유분기 때문에 그렇지 않은 사람에 비해서 고정되어 있는 시간이 짧다.

약품으로 고정하는 형식일 때는 반드시 청결이 중요하다. 머리감기를 다른 사람보다 자주 한다는 생각으로 대처하면 효과가 좋다. 최소 하루에 한 번 하는 것이 좋고 여름이나 땀이 많다면 하루 두 번을 추천한다. 고정형 약품이 샴푸를 자주 하면 더 빨리 떨어진다는 오해가 있지만, 샴푸하고 잘 말려준 후 꾹꾹 눌러 주면 고정력은 다시 살아난다!

심리적으로 불안하다면, 고정용 약품을 간단히 구입할 수 있으니,

양옆과 뒷부분에 다시 바르고 고정해 주는 방법도 있다. 약품으로 스스로 부착하는 것이 어렵다면 가발용 테이프를 사서 가로, 세로 2cm씩의 크기로 잘라 부착하는 방법도 있다.

7. 성난 뾰루지가 두피에 있는 탈모

두피 어딘가에는 가발을 고정해야 한다. 가발이 고정되는 부분에 뾰루지가 있으면 아프고, 상처 난 부위는 고정력이 떨어질 수밖에 없지 않겠는가?

술을 매일 마시거나 수면이 부족하거나 맵고 짠 음식을 먹고 기본적인 생활 패턴이 건강하지 않은 경우가 많다. 이 경우 이런 생활 습관을 바꾸는 게 근본적인 해결법이다. 두피뿐만 아니라 얼굴이나 등 같은 경우에도 뾰루지가 장기적으로 나기 때문에 좋지 않으니, 여의치 않다면 피부과에 가서 여드름 치료약을 처방받아 6개월 정도 치료를 받는 게 좋다.

8. 눈썹 색과 숱이 옅거나 거의 없는 탈모

헤어는 얼굴과 함께 인식된다. 미용에서 얼굴의 지붕은 눈썹이라고 하는데, 눈썹이 없으면 가발이 덜 어울린다.

눈썹 반영구 문신이라도 하게 되면 얼굴이 훨씬 잘나 보이게 된다. 옛날 어머니들의 푸르딩딩한 눈썹 문신이 생각나서 거부감이 드는가? 요즘은 눈썹의 결 하나하나를 최대한 눈썹 색에 맞게 표현해 주는 반

영구 타투도 잘 나오니 응용해 보도록 한다.

남자는 행동이다. 사회생활은 예의다. 정중한 자리에 깔끔한 정장을 입는 것이 예의 인 것처럼, 사회활동을 할 때 가발을 착용하는 것은 자기 관리이자 다른 사람에 대한 배려다. 가발은 정장과 같은 도구이다.

| Chapter9 |

✦

한 번 알아 두면 최소 100만 원은 아낄 수 있는 가발관리법

✦

가발 두 배 더 오래 쓰는 방법

1. 가발 증모

머리카락이 빠져서 숱이 더 줄거나 빈 공간이 보이는 경우 모발을 더 심는 것을 말한다.

가발은 6개월 정도 쓰면, 처음과 비교해 모 손실이 15% 이상 진행된다. 모발이 전체적으로 빠지는 경우도 있지만, 대체로는 앞머리나 가르마 부분, 정수리 쪽에서 많이 빠진다. 이 경우 스타일에 많은 영향을 미치게 되기 때문에 가발 쓰는 이는 이를 알 수가 있다.

이때 새 가발을 사도 되지만, 여분 가발이 더 있다면 증모를 의뢰하자.

보통 15~30만 원 선에서 증모가 가능하다. 샵에서는 반기지 않겠지만, 거절하지는 못할 것이다. 이 Tip은 비즈니스 입장에서 보면 마이너스인 셈이다!

기간은 업체마다 다른데, 직접 증모하는 경우 기간은 일주일 내외로, 빨리 작업되는 대신 기술력은 떨어진다.

의외로 해외 공장에서 가발이 만드는 경우 훨씬 수준 높은 증모를 기대할 수 있다. 기간은 업체마다 다르겠지만 2~3개월 소요될 수 있다. 가발의 경우 국내보다 해외에서 심는 것이 더 기술력이 좋다는 것을 알아 두자.

2. 가발 염색

보통 머리카락은 햇빛에 의해 미세하게 탈색이 일어난다. 가발은 이보다 정도가 더 심한데, 10개월 정도 쓰면 색이 좀 바랬다는 느낌을 받을 것이다. 이럴 때 가발을 염색해 보자. 5~10만 원대의 비용으로 활기를 되찾은 가발을 마주할 수 있을 것이다. 색은 헤어 디자이너가 원래 색이나 본인의 헤어 색과 맞춰서 해 올 테니 크게 걱정하지 않아도 된다.

3. 백모 증모

친구들은 하나씩 생기는 새치나 흰 머리, 나만 없어서 고민일 때.

연령대에 따라 친구들이 “너는 왜 새치 하나가 없냐?”라고 하며 당신을 의심의 눈초리로 바라볼 수도 있다. 가발도 흰머리가 있다. 새로 가발을 맞출 때 흰머리를 추가하는 방법도 있고, 지금 있는 가발에 흰머리를 구역별로 1%, 3%, 10%, 30% 등 심을 수도 있다. 증모와 같은 추가 비용과 기간이 소요된다.

흰머리의 양은 헤어 디자이너가 헤어 차트로 도움을 주거나 대화를 통해 알아서 맞춰 오니 걱정하지 않아도 된다.

가발은 사람의 머리와 다르게 큐티클이라고 하는 투명 보호막이 제거된 형태이다. 코팅막이 없는 만큼 잘 엉키기도 하고, 매듭으로 결합되어 있는 특성상 빗질할 때 잘 빠지기도 한다. 예를 들어 프라이팬에 코팅이 되어 있으면 음식을 만들 때 달라붙지 않고 볶음 요리 등을 맛있게 할 수 있다. 그런데 프라이팬을 오래 쓰다 보면 코팅이 벗겨지면서 조리 시 음식이 프라이팬에 붙거나 더 잘 타기도 한다. 코팅제는 가발에 이런 역할을 해 주는데, 가발 샵에서 코팅하려면 비용이 만만치가 않다. 2~4주마다 3~4만 원 하는 코팅. 100만 원이 넘는 가발을 오래도록 지킬 수 있는 홈 케어 방법을 소개하겠다.

4. 홈 케어의 중요성

가발은 최소 2일에 한 번은 샴푸해야 한다. 고정형의 경우 매일 샴푸하길 추천한다. (탈부착형은 2일에 한 번이라도 샴푸해서 먼지와 땀 등이 미생물과 작용하는 것을 방지해 준다.)

낮 기온이 30도 이상인 여름철에 음식물을 그대로 내놓으면 어떻게 될까? 4시간만 지나도 미생물 작용으로 상하기 시작한다. 사람의 두피 역시 온도가 높고 땀과 피지를 분비하므로 매일 샴푸를 해주어야 한다.

① 고정형 – 샴푸

머리를 숙이지 말고 선 채로 손바닥에 거품을 내어 모발을 샴푸한다고 생각하고 세척한다. 머리를 앞으로 숙일 경우 물의 무게까지 더해져, 의료용본드가 쉽게 떨어진다. 그리고 린스를 모발 끝 부분부터 중간 부분까지 도포하고 3분간 방치한다. 머리를 먼저 감고 린스 한 후 양치나 면도 같은 걸 하면서 기다리도록 한다. 가발 샵에서 하는 3~4만 원짜리 코팅의 효과가 있다!

② 탈부착형 – 샴푸와 빗질

미지근한 물에 샴푸를 풀고 망에는 손으로 거품을 내고 조물락거리며 세척한다. 머리카락 부분은 쿠션 브러시로 머리 끝부분부터 빗질한다. 모근부터 빗질하면 서로 엉키면서 모발 수명이 짧아진다. 린스 한 후 3분간 방치한다. 3분이 지난 후 행궈 주고 나서 수건으로 톡톡 쳐서 물기를 제거한 다음 드라이로 앞머리와 옆머리를 방향대로 빗질하여 말려 둔다.

지금부터 소개되는 내용은 고정형, 탈부착형 둘 다 해당이 되는 케어방법이다. 두 제품 모두 일주일에 한 번씩 전용 린스 대신 트리트먼트를 10분 정도 한다면 당신은 가발회사에서 따로 코팅을 받지 않아도 될 것이다.

① 빗질은 생략하는 사람이 있을지도 모르겠다.

하지만 빗질은 1차적인 오염 제거와 결 관리에 필수이다. 가발은 마찰력에 약하므로 일반 빗보다는 비싸지만 가발 전용 빗 하나를 꼭 사 두길 권하고 싶다. 여행용으로 나온 작은 빗과 큰 도끼빗 정도 갖추길 추천한다.

작은 빗은 소지하고 다니기 편리하고, 큰 도끼 빗은 집에서 가발을 세척하고 나서 드라이어로 말릴 때, 전체적인 스타일링 후 마지막으로 자연스럽게 흐름을 줄 때 용이하다.

② 린스는 가발 샵에서 판매하는 제품을 사용한다.

시중의 제품보다 훨씬 고농축이다. 사용법은 앞서 말한 것처럼 3분간 방치하는 게 포인트다. 시간이 너무 짧게 되면 모발에 린스 성분이 유연작용을 하는 시간을 담보하지 못한다.

③ 가발 소모품이 중요한 이유는 가발은 사람 머리나 합성모로 만들어졌기 때문이다.

그만큼 보통 사람의 머리카락보다 약하기도 하고 저마다의 특성이 있다. 안경도 난시 안경, 근시 안경, 멋내기 안경이 있는 것처럼 가발도 특성에 맞게 모발과 망이 제작된다. 이러한 가발에 특화된 것이 바로 가발 소모품이다. 샴푸, 린스, 유연제, 가발 테이프, 가발 본드, 가발 본드용 리무버, 가발 빗, 가발 스탠드 등이 있다.

가발 잘 쓰는 사람의 공통점, 5가지

1. 가발에서 앞 머리 부분이 중요하다는 것을 200% 알고 있다.

가발이 내 머리처럼 자연스럽길 바라는가? 그럼 앞머리를 전부 올리더라도 가발과 내 이마를 연결하는 연결선을 기술적으로 감추는 법이 있다. 이 방법을 가발을 관리해 주는 가발 헤어 디자이너에게 배운다. 이들 전문가가 관리해 준 가발을 보고 본인이 수차례 따라하면서 익힌 것이다.

2. 가발의 모발이 뿌리방향이 있다는 것을 안다.

보통 사람은 머리카락에 모류, 즉 머리카락 방향이 있다는 인식이 없다. 모류는 자연스럽게 나면서부터 이루어져 있고, 샴푸를 하거나 일상에서 의식하지 못하는 채 손으로 쓸어서 모류를 만들기 때문이다. 하지만 가발은 인위적으로 만들어진 것이므로 모류를 잡아주는 것이 정말 중요하다. 앞머리는 모근이 앞으로 양옆 머리와 뒷머리는 목 쪽으로 향해야 자연스러운 헤어 스타일링이 완성되는 것이다.

그래서 가발 잘 쓰는 사람은 가발을 세척해서 물기를 수건으로 톡톡 말린 후에는 반드시 가발용 큰 빗으로 이 흐름대로 빗어서 가발 스탠드에 말린다.

물론 처음 가발을 하면 헤어 디자이너가 이러한 틀을 잡아 준다. 하지만 일상적인 관리도 중요하므로 이것을 아는 것과 모르는 것은 가발을 머리카락으로 쓰게 되는지 털모자를 쓰게 되는지를 가르게 된다.

3. 집에서 홈 케어하는 중요성을 안다.

쉽게 지나치지만, 비용이 크게 절감되는 꿀팁이다. 명심하라.

일주일 중 최소 5일을 착용하는 가발은 몸에서 나오는 땀, 피지와 오염된 공기, 미세먼지 등이 가발의 망이나 모발에 붙게 된다. 하지만 이를 관리하기 위해 가발 회사에 매일 가서 관리를 받을 수는 없다.

대신 집에서 빗질하고, 간단히 세척하고 일주일에 린스만 3분씩 잘 해 줘도 가발의 수명과 질은 아주 좋아진다.

4. 가발 하나로 버틸 수 있다는 생각은 안 한다.

신발 하나 가지고 4계절 버티는 것과 두 개를 번갈아 신는 것과는 신발의 내구성에서 어떤 차이가 생길까? 사람의 머리는 생각보다 무겁다. 때로 머리를 기대기도 하고 눕기도 하는데 이러한 하중을 약한 모발이 고스란히 떠받친다는 걸 알아야 한다. 가발은 도구이다. 소모품인 것이다. 사람 머리카락으로 만들지만, 가발을 만드는 재료만 머리카락일 뿐 그 화학 성분 등은 일반 머리카락과 상당히 달라진다. 이를 테면 모발의 가장 바깥 부분은 큐티클이라는 투명한 비닐 모양의 결이 있다. 가발을 만들 때는 이 큐티클을 걷어 내고 만들기 때문에 잘 엉키게 된다. 사람 머리카락보다 약하기 때문에 1년 6개월, 2년에 한 번씩은 주기적으로 바꿔야 한다는 생각을 가지고 있어야 한다.

모발을 지탱해 주는 망은 통기성과 착용감을 좋게 하기 위해 얇게

만드는 추세이다. 이 망은 생각보다 섬세해서 잘 뜯어지기도 하고, 매듭지어진 모발도 언제든 뭉텅이로 빠질 수 있다. 그 외에도 우리는 예기치 못하는 상황에 언제든 마주칠 수 있다.

“5년 동안 나는 가발 한 개로 버텼어. 앞으로도 그럴 거고.”라고 항상 주장해 왔던 분이 밤8시에 다급히 가발 회사로 전화했다.

“가발이, 가발이 바람에 날아갔어요. 내일 당장 출근할 때 쓰고 가야 하는데… 혹시 여분 없을까?”

그 외에도 아이가 무등 타다가 뜯거나 해서 훼손되는 등 당신이 상상하지도 못했던 일들이 발생하는 것이 삶이다. 가발 회사의 배만 불려준다는 생각이 들어서 한 개만 구매하셨더라도 항상 여분의 가발은 두시길 바란다.

5. 내 머리 손질은 내가 직접 할 수 있다.

자신의 외적인 모습을 꾸미기 좋아하는 남자가 아니라면, 보통은 머리 감고 드라이어로 말리면서 적당히 손으로 빗어주면 완성되는 헤어 스타일을 가장 편하게 생각한다.

하지만 가발은 자연모와는 달리 관리가 필요하다. 그러니 내 인상의 90%를 결정해 주는 가발의 헤어 스타일을 만들 수 있는 기술을 평소에 연습해 둔다. 정수리 머리는 조금 띄우고 앞 이마 라인을 정리해 주고, 옆과 뒤 가발 연결선의 머리는 누르는 형식이다.

| Chapter10 |

평생 써먹는 스타일링 꿀팁

✦

연결선 - 가발과 사람머리가 연결되는 연결선

가발 테두리, 즉 가장 가장자리 부분이 있다. 이 부분은 1mm의 들뜸도 허용하지 말자.

꼬리 빗이라는 것이 있다, 이 빗을 활용하면 좋은데, 가발의 가장자리에서 0.5cm 되는 부위는 꼬리 빗의 등 부분으로 힘을 주어 누르면서 드라이를 해 준다.

1. 앞머리를 올려서 내린 스타일을 한 경우 – tvN 도깨비의 공유 머리

볼 하트를 하듯이 한 손으로 하트를 만든다. 그 상태에서 앞머리의 띄울 부분을 C자 형태로 잡는다. 드라이어의 따뜻한 바람을 5초 정도 쏘이면서 머리카락끼리 살살 문질러준다. 그런 후 다시 찬 바람을 5초간 드라이한다.

모든 헤어 기구는 뜨거운 열 → 식힘이 공식이다. 열을 가하면서 모양을 변형시켜서 스타일을 잡아 주고, 찬 바람으로 식혀서 스타일을 고정하는 공식.

2. 가르마 있는 내려 돌림 – tvN 유 퀴즈 온 더 블록의 유재석 머리

얼굴형에 따라 다르긴 하지만 정수리 부분은 볼륨을 실려야 한다. 드라이 롤 빗 2호를 이용하면 좋다. 그게 어려우면 반달 고데기나 남성용 판 고데기를 이용해 보자. 정수리 부분을 45도 각도로 맞추어 드라이했다면, 그 아랫단은 30도로, 그리고 앞머리도 머리뿌리는 30도 정도로 각도를 맞춰주는 게 멋스럽다.

3. 크롭컷 – 넷플릭스 D.P

짧은 자른 남자 헤어 스타일로, 앞머리와 양옆 머리를 짧게 치고 앞머리를 내린 형태이다.

샴푸 후 전체적으로 머리를 누른다는 느낌으로 드라이하고, 정수리에서부터 모발 끝까지 위에서 아래로, 그러니까 얼굴 쪽으로 드라이한다. 앞머리 라인은 한 손으로 드라이기를 잡고 다른 손으로는 이마 정 중앙으로 가지런히 모으듯이 방향을 잡아준다.

두피 볼륨이 없고 납작한 부분은 그 부분만 손으로 움켜쥐듯 머리를 구기면서 드라이한다. 이렇게 하면 간단히 볼륨이 만들어진다.

마지막으로 매트 왁스나 헤어스프레이로 가볍게 마무리해서 고정하면 된다.

스타일링은 하루 아침에 능숙해지지 않는다. 자전거 타기처럼 몇 번씩 반복해서 해 봐야 되는 것이다. 남자 연예인의 앞머리를 보면 선이 있다. 그 느낌을 그대로 따라 한다고 생각하면서 모양을 잡는 것이

또 하나의 팁이다. 만약 스타일이 이상하게 나왔다면 물을 넣은 스프레이를 머리카락에 뿌려서 드라이로 말린 후에 다시 세팅하면 된다.

제대로 된 가발 전문가/디자이너를 고르는 법

1. 성격 – 내가 원하는 요구사항을 무시하지 않는다. 그와 함께 전문가의 소신도 주장할 줄 안다.

만약 손님이 "나는 키가 작으니까 머리로 볼륨이 있는 게 좋더라고요. 여기 정수리 부분을 한 7~8cm 띄워서 드라이해 줘요."라면서 머리카락을 띄워서 그 키를 채우려 한다면 다른 사람들은 "왜~ 그 사람 있잖아. 키가 작으셔 가지고 머리를 이만큼 뽕으로 띄우는 분."이라고 기억하게 된다.

전문가는 이럴 때 7~8cm는 좀 오버고, 4~5cm로 하면 단점은 커버되면서 남들 눈에도 자연스러운 헤어 스타일이 될 거라고 판단하고, "4~5센치가 더 나아 보일 것 같은데, 이렇게 한번 해 보세요."라고 안내할 것이다.

2. 가발을 손질하며 집중하다 보면 시선이 자신의 가발과 헤어를 향하게 된다.

이때 가발과 자신과의 조화를 본다. 즉 어색한 부분은 없는지 부자연스러운 티가 나지는 않는지 매의 눈으로 살펴보는 것이다. 가발 커트를 한 번 할 때 모난 부분은 없는지 수십 번 체크한다.

그런 다음 자신이 손질할 때 불편하지 않도록, 손으로 쓸어 넘기거나 손으로 빗질할 때 뒤로 넘어가는 옆머리나 흐름을 주는 앞머리 형태를 살핀다.

3. 스타일리스트도 당사자와 몇 번 만나봐야 가발이 어떨 때 가장 멋지고 자연스러운지 알 수 있다. 이 말은 최소 3개월, 충분하게는 6개월은 맡겨 봐야 한다는 뜻이다.

오늘 헤어 디자이너가 해 준 가발 스타일을 하고 샵을 나갈 때와 다음에 관리 받기 위해 왔을 때를 유심히 살펴보며 평소에 손질을 어떻게 하는지 확인하고, 가벼운 스몰 토크를 하면서 당사자의 생활 습관과 신경 쓰이는 부분을 체크하기 때문이다.

| Chapter11 |

✦

사람들이 의외로 모르는 탈모 관리 꿀팁

✦

1. 머리 감기는 언제?

아침보다는 저녁 시간이 '골든 타임'이다.

머리 감는 시간에도 골든 타임이 있다. 헤어 스타일보다 탈모가 걱정이라면 머리는 저녁에 감는 것이 좋다. 헤어 스타일을 위해서는 아침에 감고 유분기가 없는 상태에서 스타일링 하는 것이 좋다. 하지만 탈모에는 극약이다.

하루 종일 두피와 모발에 쌓인 먼지와 피지를 자기 전에 제거하는 것이 두피와 모발을 청결히 하는 일등 공신이 된다.

아침에 머리를 감고 잘 말리지 않은 상태에서 외출할 경우 차갑고 건조한 바람에 두피와 모발이 더 상할 수 있다. 밤에 머리를 감고 두피까지 충분히 잘 말리고 자는 것이 많은 사람들이 간과하는 부분이다.

유분기가 많은 20대나 30대 초반의 남성이라면 아침 저녁으로 머리를 감는 것도 좋은 방법이다. 가장 저렴하게 두피 유분기를 잡는 방법인데, 아침 저녁으로 머리를 감으면 머리카락 뿌리에 오염 물질이 덜 쌓여서 머리가 자라는 데 좋다.

2. 머리를 감는 샴푸 시간은 얼마나?

5분 이내가 '골든 타임'이다.

탈모방지 샴푸를 사용하는 사람들 중에는 샴푸의 양분과 탈모방지 성분이 두피에 잘 흡수되어야 한다며 거품이 있는 상태에서 한참 동안 방치해두는 경우가 있는데, 이는 피해야 한다. 탈모는 두피가 아니라 두피 안쪽의 모낭 기능이 퇴화되며 발생하는 질환으로, 샴푸를 너무 오래 방치해 두면 계면활성제 성분이 두피를 자극하면서 두피가 예민해지고 건조해져 오히려 탈모 증상이 악화될 수 있다.

그러므로 샴푸 시간은 5분 이내로 하고, 세정 후에는 깨끗한 물로 두피와 모발에 남은 잔여 성분을 꼼꼼히 씻어내도록 한다.

3. 머리를 감은 후에는?

뜨겁지 않은 바람으로 5분 이상 말리는 것이 '골든 타임'이다.

머리를 말리는 것 또한 감는 것만큼 중요하다. 샴푸 후에는 타월로 모발의 물기를 닦아내고, 드라이기를 사용해 두피와 모발을 꼼꼼히 말리도록 한다. 헤어 샵에서 머리를 어디서부터 말릴까? 바로 두피부터다. 두피가 말라야 트러블을 방지할 수 있고, 스타일링에도 유리하다. 간혹 남성분들이 머리를 말릴 때 두피가 아니라 머리카락 겉 부분만 대충 말리는 모습을 종종 본다. 이처럼 두피를 제대로 말리지 않고 수분기가 남아 있는 상태로 취침하는 것은 탈모를 더 악화시킨다는 점을 알아 두자.

머리를 말릴 때는 두피와 모발을 건조하게 하는 뜨거운 바람보다는 찬바람을 사용하는 것이 좋다. 드라이기 바람은 두피와 모발에 직접 닿지 않도록 머리에서 30cm 정도 거리를 두고 말리도록 한다.

4. 7시간 이상 충분한 수면이 탈모 치료의 '골든 타임'이다.

현대인은 햇빛을 보는 시간이 적어서, 숙면을 유도하는 호르몬인 멜라토닌 분비가 줄어들며 수면 시간이 부족해지기 쉽다.

겨울철이나 음주, 야근 등으로 인한 수면 시간 부족은 탈모에 악영향을 미칠 수 있다. 머리카락은 부교감신경의 기능이 활성화되어야 성장이 촉진되는데, 수면 부족으로 인해 부교감신경의 기능이 떨어지면 모발에 충분한 영양 공급이 되지 않으면서 모발 건강 상태도 나빠진다.

그러므로 하루에 7시간 이상 충분히 숙면을 취하는 것이 탈모 예방에 효과적이다.

5. 뒷머리보다 앞머리와 정수리의 모발이 가늘어지면서 빠진다면 피부과를 찾아갈 '골든 타임'이다.

생활습관만으로 탈모를 예방하고 치료하는 데는 한계가 있다. 남성형 탈모는 한 번 시작되면 시간이 지날수록 증상이 심해지며 치료가 어려워지기 때문에, 치료 시기를 놓치지 않고 피부과를 찾는 것이 중요하다.

머리가 빠지는 증상은 계절이나 몸 상태 등에 따라 달라질 수 있지만, 뒷머리보다 앞머리나 정수리 부위의 모발이 가늘어지며 많이 빠진다면 의학적 치료를 고려해볼 시기다.

6. 의학적 탈모 치료를 시작했다면, 1년 이상 꾸준히 치료받는 것이 '골든 타임' 이다.

초기 탈모 치료는 피나스테리드 제제나 미녹시딜 제제와 같은 약물 치료만으로도 탈모 방지와 발모 효과를 볼 수 있다. 다만 모발의 생장 주기상 약물 치료를 시작한다고 해서 바로 효과를 볼 수 있는 것은 아니기 때문에 최소 3개월 이상의 꾸준한 치료가 필요하다. 탈모는 고혈압, 당뇨병과 같은 만성 질환이라 약물 치료를 중단하면 다시 탈모가 시작된다. 개인의 차이는 있지만 약물 치료를 통해 가시적인 발모 효과를 충분히 보기 위해서는 1년 이상 치료하는 것이 효과적이며, 10년 이상의 임상을 통해 효과와 안전성이 입증된 치료제를 선택하는 것이 좋다. 두피 상태에 따른 관리 방법으로 두피의 상태를 진단하고 탈모 질환을 같이 치료할 수 있는 피부과 전문의를 방문해 상담 받는 것이 권장된다.

7. 바르는 탈모약으로 지루성 두피 염증이 생겼다면?

피부과에서 처방해 주는 약을 먹어도 약을 먹을 때뿐이고, 두피 염증이 가라앉지 않는 경우가 많다. 이때는 치과에서 1년에 한 번씩 치석을 스케일링 받는 것처럼 두피도 스케일링 하는 방법이 있다.

피부과에서 판매하는 두피 스케일링용 약용 샴푸와 린스가 있다. 가격은 샴푸가 500g에 7~8만 원이지만 전문 의약품이라 시판용보다 두피 스케일링 농도가 높아서 한 달만 사용해도 금방 두피가 깨끗해질 수 있다. 가격이 부담스럽다면 린스를 제외하고 샴푸만이라도 사서 이용해 보자.

8. 여성도 요즘 젊은 탈모 인구가 많다. 바르는 탈모약이 끈적거리고 유분기가 있어서 싫다면, 먹는 여성용 탈모약인 미녹시딜을 시도해 봐도 좋다.

약 한 알은 너무 많이 붓거나 가슴이 뛰는 부작용이 올 수 있으므로 반 알 정도씩 1년 정도 복용해 본다. 여 에스더라는 여의사는 1/4로 쪼개서 복용한다고 밝힌 바 있다. 최초에는 고혈압약으로 개발되었기 때문에 붓기가 있을 수 있으나 탈모를 저렴한 가격으로 극복할 수 있다.

필자가 해 보니 1/4은 라면 먹고 잔 정도의 붓기가 있고, 1/2는 몸무게가 3~4kg 쪄 보이는 정도의 붓기가 있었다 모량은 6개월 후 현저하게 늘었으나 1/4정만 복용한 경우에는 머리카락의 두께가 얇았다. 초등학생 고학년 아이의 머리카락 굵기 정도랄까. 탈모 정도가 중증도 이상이라면 1/2을 이용해야 효과를 볼 수 있을 것으로 생각된다.

| Chapter12 |

✦

친구들보다 10년은 어려 보이는 사람이 말해주지 않는 비밀

✦

"매일 보는 회사 동료나 알고 있는 사람은 어쩔 수 없지만, 굳이 아직 모르는 사람에게까지는 알리고 싶지 않아요." 자수성가해서 회사를 일군 40대 초반의 대표가 한 말이다.

"군대 전역했는데, 막 입학한 대학 새내기들이랑 친구냐는 말을 들으면 뜨끔하기도 하고 좋기도 하고 그래요."

"나는 가발 티 날까 봐 전전긍긍하는데, 내 친구들은 나한테 왜 안 늙냐고 그러더라 구. 처음에는 그 말의 뜻을 몰랐는데, 이 가발 덕분이라는 걸 알았지. 이제는 친구들 한테 가발이라고 그냥 말 해. '너는 왜 안 늙냐?', '늙지 왜 안 늙어~ 가발 때문에 젊어 보이는 거지~ 너도 해 봐' 하면 선뜻 결정하지를 못 하더라고."

부자 되는 법을 함부로 알려주지 않듯이, 부담 없고 친한 친구에게만 선심 쓰듯이 알려주는 게 가발의 비밀인 것이다.

가발을 쓰는 직업 군인을 상상해 본적 있는가? 짧은 머리에 매일 같이 땀을 비 오듯 쏟는 훈련을 소화하는 군인 말이다. 일반 사병부터 장교에 이르기까지 가발은 정교함을 자랑하며 그들이 군 생활을 무리

없이 할 수 있게 해 준다.

가발 사용자들이 하나 같이 듣는 말은 또래보다 어려 보인다는 말과 훈남이라는 말이다.

가발은 남자들이 늘 신경 쓰는 붕 뜨는 옆머리를 다운 펌 하듯이 스타일링 할 수 있게 해 주고, 정수리에는 볼륨이, 관자놀이와 바로 위 부분 이마는 살짝 머리카락으로 가려주는 것이 훨씬 인물이 좋게 보이게 한다는 점을 잘 알고 있는 도구이다.

가발을 써도 자연스럽게 멋있는 사람은?

"거, 대충 해 가지고 와요."

탈착한 가발을 들고 작업실로 향하려는 내게 가발을 쓰시는 멋쟁이 고객님 대부분은 이렇게 말씀하신다.

"너무 정갈하게 해도 가발 티 나. 그리고 나는 지인 들한테는 가발이라고 다 말해. 그걸 뭐 하러 숨겨? 며칠씩 같이 여행 가면 벗기도 하는데."

가발을 쓰는 사람은 이런 태도가 필요하다.

가발을 쓰되 당당하고 자연스러운 멋을 추구는 자세~!!

세상에 영원한 비밀이란 건 없다. 또 굳이 따지자면 흠도 아니고, 그 사람 잘못도 아니므로 당당함이 필요하다. 가발 쓴 대표적인 연예인이 바로 이덕화 아저씨다. 그가 탈모인인 것은 그를 아는 사람이면

다 알 것이다. 나이가 70을 넘은 나이에도 그는 여전히 중후한 멋이 있다. 그에 반에 김광규는 어떤가? 탈모인임을 밝히고 그걸 캐릭터로 이용하여 연기를 하지만 희화화된다. 가발을 쓰고 단단한 중역의 역할을 해내는 이덕화가 멋있는가, 아니면 민머리로 브라운관에서 희화화되는 김광규가 더 나은가? 어떤 걸 선택할 지는 본인 몫이다.

그래, 가발 쓰는 나는 당당할 수 있는데, 내 주변 사람은 어떤지 궁금하지 않나?

"내가 탈모로 한참 고생할 때는 대학원에 다닐 때였는데, 머리카락이 듬성듬성했지. 이마와 정수리 머리카락이 없었어. 눈도 부리부리한데다가 머리카락까지 없으니까 인상이 너무 강해 보인다고 말을 들었어. 내가 얼마나 부드러운 남잔데!

잘나가는 스튜어디스랑도 사귀어 보고 했는데, 그런 나랑 같이 다닐 때 아무렇지 않게 내 이마에 땀을 닦아주는 내 와이프랑 결혼하게 되더라고. 근데 와이프도 백화점에 가면 내 옆에서 안 걷고 두세 걸음 뒤에서 따라오더니, 가발을 쓴 다음부터는 내 팔짱을 끼고 나란히 걸어."

코로나로 실직한 30대 가장이 가발을 벗겠다고 하며 신청한 가발을 취소하고 갔다가 일주일만에 급히 가발 회사를 다시 찾았다.

"유치원에 다니는 딸이 아빠가 가발 쓴 모습이 더 멋있대요. 실직해서 이제 가발을 벗어야 형편이 좀 맞을 것 같아서 얘길 꺼냈는데. 맛있는 거 좀 덜 사달라고 할게. 그냥 가발 쓰면 안 되느냐고 하는 거예요."

"저희 두 달 후에 결혼해요. 멋있게, 잘해 주세요."

반짝이는 두 눈에 예쁜 20대 중 후반 예비 신부가 말했다.

"신부님이 예비 신랑분께 선물하는 거예요? 새출발을 기념해서? 너무 멋있는 신부님 이랑 결혼하신다."

동그래진 나의 눈을 보면서 남자분이 얘기한다.

"장인께서 해 주시는 거예요. 결혼 허락 받고요. 저는 제 탈모가 그렇게 심하지 않아서 가발은 생각지도 못 했는데… 감사한 일이죠."

아끼고 아낀 딸이 시집을 간단다. 사위 될 친구는 건실해 보여서 새 출발을 허락하는 데, 앞으로 거친 사회생활을 하면서 흠 잡힐까 봐, 방패를 선물하는 것이다.

"나는 당신의 민머리가 아무렇지 않아, 당신의 매력을 깎지 않는다고. 하지만 다른 사람들 앞에서는 가발이라도 쓰는 게 좋을 것 같아."

이것이 여자 친구나 부인이나 딸들이 당신에게 바라는 모습이다.

저자 한 마디

악마다~~

상큼한 악마가 고객님께 제일 많이 듣는 말이 있다.

"가발 샵에 다닌 지 오래됐지만 선생님처럼 마음 써서 관리해주는 분은 처음이에요."

가발을 최소 5년 이상부터, 많게는 30년 쓰신 분들도 적지 않다. 10년이 넘으신 베테랑 가발 착용러에게 듣는 이러한 말은 내게 훈장이다.

어떤 고객님이 말씀하셨다.

사람 약점을 가지고 장사하는 곳이라서 가발 회사는 최고 갑의 위치에서 장사하는 거라고.

벗겨진 머리로 이 미용실 저 미용실 다닐 수도 없고, 1년에 한두 번 오는 것이 아니라 한 번 가발을 쓰게 되면 몇 년이고 다녀야 하는 곳이라서 싫은 소리를 할 수도 없으니 사업 아이템 한 번 잘 잡았다고.

이런 말씀에 내 대답은 이렇다.

"아, 그런 가요? 입장 바꿔 생각해 보면 그럴 수도 있겠네요. 후훗.

하지만 가발 쓰시고 나서 10년은 어려지셨잖아요~ 고객님 친구들보다 고객님이 훨씬 어려 보일 걸요? 인상도 더 좋다고 들으실 거고요. 세상에서 얻는 게 있으면 잃는 것도 있어야 공평하죠~"

나의 대답에 고객님은 가발 회사도, 나도 미워할 수 없다며 작은 소리로 웃으신다.

말하기 참 부끄럽지만, 아쉬운 소리 못하는 성격이라서 고백하기가 너무도 쉽지 않지만…

그럼에도 불구하고, 나는…

가발 회사에 근무하는 관계로, 내 일은…

영업도 빠지지 않는다.

'꺅, 말해… 버렸다… 아흑…'

그래서 생각한다.

상큼한데, 작은 악마 같구나~ 나는…!

가발 회사에는 탈모라는 공통점을 가진, 사회적으로, 정서적으로 각기 배경이 다른 다양한 연령대의 고객님들이 저마다의 스토리를 가지고 방문하신다. 나는 그분들과 이야기를 나누고 함께하는 시간이 좋다.

그들의 선량함과 인간스러움을.

나는 매일같이 부대끼고, 배우며 성장해 나간다.

가발의 시작은 열대지방인들이 태양으로부터 피부를 보호하기 위해 시작되었으나 후에 종교적으로 사용되었으며 나아가서 권위적으로까지 발전하게 되었다.

조선시대에 와서는 궁궐안 부녀자들의 멋내기용으로 활용되어 사치를 부르고 그 사치가 과하여 신체를 다치게되는 일이 발생을 하자 임금의 령으로 가발이 금지되기도 하였다.

이러한 역사를 가지고 있는 가발이지만 오늘날의 가발은 탈모가 있는 이에겐 신체의 일부가 된 매우 중요한 역할의 필수품이 되었다.

시대가 발전하면서 우리네 식생활의 변화로 인해 왕성한 호르몬 분비로 빨라진 탈모현상과 유전자로 인해 피해갈 수 없는 탈모를 경험하는 고통을 겪고있는 사람도 적지않다.

고령사회로 우리의 수명은 길어지고 그로인해 사회활동도 예전보다는 더 오래하게 되는데, 탈모를 겪고있는 이에겐 길어진 사회생활에 탈모증상이 악영향을 미치게 된다는것을 배제할 수가 없다.

그리하여 자연히 가발에 관심을 갖게된 탈모인들은 첫 가발을 착용하기전 궁금한것도 많으나 미용실을 가지않고는 속시원히 상담할곳을 발견할 수가 없는데 그 미용실 찾아간다는 것 조차 쉽지않는 일이기에 탈모를 겪고있는 사람들에겐 또다른 고통이다.

책을 통해 정보를 알아보고자 하여도 자신의 궁금증을 해소 해 줄 서적은 없는 실정이라서 답답해 하고 있었다.

국내 H사에서 다년간 가발디자이너로 근무를 한 저자는 그러한 가려움을 해소 해 드리고자 근무중에 경험했던 이야기들을 Chapter별 이야기식으로 풀어놓은 것에 착안하여 책으로 펴내는 일을 하였다. 아무도 생각하지 못한 그 이야기들을 그녀는 해냈다.

그녀를 잘 아는 나는 그녀의 이러한 발상에 그리고 용기에 박수를 보내며 이 책의 출간에 축사를 보내기로 하였다.

그녀가 있기에 많은 탈모인들이 가발에 대해 좀더 쉽게 다가가서 보다 아름다운 삶을 영위하길 기대한다.

아울러 저자의 앞날에도 무궁한 발전을 기원한다.

대한민국스타훈련교사 미용학 박사

참조

1 질병관리청 (남성형 탈모, 2023.08.15)

2 탈모 인구의 절반이 1030 젊은 층/40대만큼 많아 (중외제약, 의학정보 탈모는 중장 년의 질환? 어리다고 안심할 수 없다!)

3 [팩트 체크] 우리나라 탈모인구가 1천만 명이라고 연합뉴스 2022

4 취업 포털사이트 사람인 설문조사(2020.4)

5 탈모, "의심된다면 망설이지 말고 빠른 진단 · 치료 필요"

6 [약업 신문]최 지웅 아주대병원 교수, "프로 페시아, 입증 완료된 안전한 치료제 · 현장에선 오리지널만 사용해"(20220824)

7 취업 포털사이트 사람인 설문조사(2020.4)

8 헬스조선 (2014.01.08)